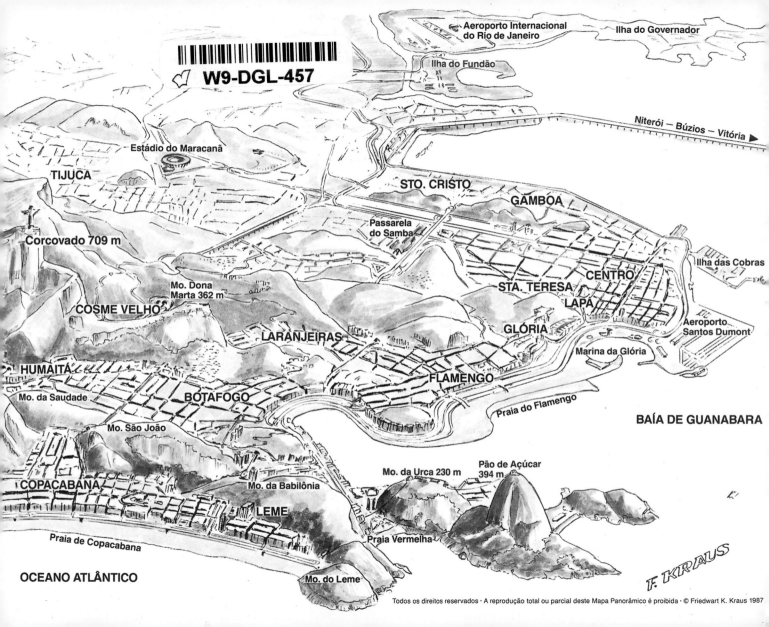

Aeroporto Internacional do Rio de Janeiro

Ilha do Governador

Ilha do Fundão

Niterói – Búzios – Vitória ▶

Estádio do Maracanã

TIJUCA

STO. CRISTO

GAMBOA

Corcovado 709 m

Passarela do Samba

Ilha das Cobras

CENTRO

Mo. Dona Marta 362 m

STA. TERESA

COSME VELHO

LAPA

LARANJEIRAS

GLÓRIA

Aeroporto Santos Dumont

HUMAITÁ

FLAMENGO

Marina da Glória

Mo. da Saudade

BOTAFOGO

Praia do Flamengo

Mo. São João

BAÍA DE GUANABARA

Pão de Açúcar 394 m

Mo. da Urca 230 m

COPACABANA

Mo. da Babilônia

LEME

Praia Vermelha

Praia de Copacabana

F. KRAUS

OCEANO ATLÂNTICO

Mo. do Leme

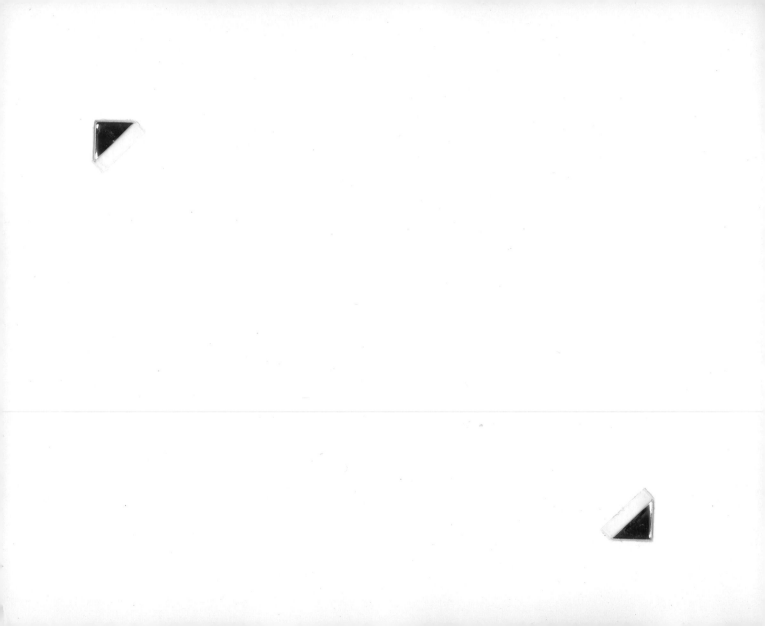

# CÉU AZUL
## DE COPACABANA
editora

Coleção Colorfotos do Brasil

# RIO DE JANEIRO · 110 COLORFOTOS

Fotos:              Martin Fiegl*
Textos:             Christina Richter
Projeto Gráfico:    Martin Fiegl

*Publicado e distribuído por:*
*Céu Azul de Copacabana*
*Rio de Janeiro, Brasil*
*ISBN: 85-87467-03-4*
*Impresso na Áustria por Alpina Druck*
*Todos os direitos reservados*

www.colorfotos.com.br
firma@colorfotos.com.br
Tel.: (021) 22 67-28 27

Projeto e Coordenação Editorial: Christina Richter & Martin Fiegl

*exept: Felix Richter: 16, 19, 20, 24, 26, 39, 40, 41, 42, 43, 57, 68, 69b, 73, 74, 78, 79, 80, 84, 85, 86, 89
Georgianna Basto: 47, 91 / Luiz Garrido: 52

*"Deus fez o mundo em sete dias, dois foram necessários só para o Rio de Janeiro."* (provérbio brasileiro)
*"God created the world in seven days, of which two were needed just for Rio de Janeiro."* (Brazilian proverb)
*"Dieu a crée le monde en sept jours dont deux seulement pour Rio de Janeiro."* (proverbe brésilien).
*"Gott schuf die Welt in sieben Tagen, zwei brauchte er allein für Rio de Janeiro"* (brasilianisches Sprichwort).
*"Dio fece il mondo in sette giorni, dei quali due furono necessari solo per Rio de Janeiro."* (proverbio brasiliano)

# RIO – CIDADE MARAVILHOSA

No dia 1. de Janeiro de 1502, navegadores portugueses avistaram a Baía de Guanabara. Acreditando que se tratava da foz de um grande rio, deram-lhe o nome de Rio de Janeiro, dando origem ao nome da cidade.

A cidade em si foi fundada em 1565 por Estácio de Sá, com o nome de São Sebastião do Rio de Janeiro, em homenagem ao então Rei de Portugal, D. Sebastião.

Duzentos anos adiante, em 1763 o Rio de Janeiro tornou-se a capital do Brasil, título que manteve até 1960, quando foi inaugurada Brasília, a atual capital do país.

Devido às guerras napoleônicas, a família real portuguesa transferiu-se, em 1808, para o Rio de Janeiro, onde em 1815 o Príncipe Regente D. João VI foi coroado Rei do Reino Unido do Brasil, Portugal e Algarves, um fato histórico que foi da maior importância para os rumos da Nação Brasileira.

A economia da cidade foi impulsionada a partir do século XVII pelos ciclos da cana de açúcar, do ouro e do café. Hoje, o Estado do Rio de Janeiro é, após São Paulo, o segundo pólo industrial do Brasil, está entre os primeiros em turismo, além de ser o principal centro cultural do país e importante centro político.

Povos europeus, principalmente portugueses, misturando-se com escravos africanos e índios brasileiros, deram origem a um povo gentil, alegre e bonito que compõem a população de mais de 6 milhões de CARIOCAS, como são chamados os habitantes da cidade.

Situada em meio a uma paisagem privilegiada pela natureza, entre o mar e as montanhas, a cidade do Rio de Janeiro é uma das mais belas do mundo o que lhe valeu o título de Cidade Maravilhosa.

Entre os seus superlativos são pontos altos as praias de Copacabana, Ipanema, Leblon e Barra da Tijuca, as mulheres bonitas, o Maracanã – maior palco do futebol do mundo, o Corcovado, o Pão de Açúcar e acima de tudo o Carnaval.

Todos os anos, na época de Carnaval, a cidade do Rio de Janeiro respira durante cinco dias um invejável ar de alegria. Os cariocas esquecem problemas e obrigações e rendem-se ao gigantesco espetáculo de dança e magia. O auge da festa é o desfile do grupo especial na Marquês de Sapucaí, onde diversas Escolas de Samba disputam entre si o título de Campeã do Carnaval. Samba, cores vivas, fantasia esplêndidas e mulheres bonitas são os principais ingredientes desta disputa grandiosa.

A ordem das fotografias deste livro representa uma possível rota para a visita do Rio de Janeiro: Corcovado – Arcos da Lapa – Centro da Cidade – Palácio Imperial da Quinta da Boa Vista – Glória – Enseada de Botafogo – Pão de Açúcar – Copacabana – Ipanema – Lagoa Rodrigues de Freitas – Jardim Botânico – Mirante do Leblon – São Conrado com Vila Riso – Barra da Tijuca – Cascatinha – Estádio do Maracanã e Niterói com Museu do Niemeyer. As vistas mais bonitas sobre a cidade se tem do Mirante Dona Marta, Corcovado, Pão de Açúcar e Pedra da Gávea.

Para os amantes de natureza aconselham-se o Jardim Botânico, a Floresta da Tijuca (Cascatinha), as praias e passeios para as Ilhas Virgens das proximidades, perto de Itacuruçá, Angra e Paratí. Também vale a pena visitar a Serra dos Órgãos, Petrópolis e Teresópolis.

# RIO – THE WONDERFUL CITY

When on 1 January 1502 Portuguese navigators sailed into the bay known today as Guanabara, they thought they had discovered the delta of a huge river and named it "River January" - Rio de Janeiro.

The city itself was founded on 1 March 1565 by Estácio de Sá as São Sebastião do Rio de Janeiro, in honor of the King of Portugal, Don Sebastião.

From 1763 until the founding of Brasilia, today's national capital, in 1960, under Kubitschek and architects Niemeyer and Costa, Rio de Janeiro was the capital of Brazil.

In 1808, following Napoleon's invasion of Portugal, General Junot moved the seat of the Portuguese royal house to Rio de Janeiro. It was here that Prince Regent Don João VI was crowned king of the United Kingdom of Brazil, Portugal and Algarve in 1815, an historical event of the greatest significance to the development of the Brazilian nation.

From the 17th to the 19th century, the export of sugar, gold and coffee brought about an economic boom of the city. Today the federal state Rio de Janeiro is, after São Paolo, the second strongest industrial state in Brazil, the leading cultural city, an important tourism center and the political hub of the country.

More than six million "Cariocas," as the inhabitants of the city are called, populate Rio de Janeiro. A friendly, cheerful, attractive people of European (mainly Portuguese) origins, mixed with the descendants of African slaves and Brazilian Indians.

In the heart of an extraordinarily rich natural paradise, couched between the sea and the mountains, Rio de Janeiro is one of the most beautiful cities in the world, justly bearing the sobriquet Cidade Maravilhosa - the wonderful city.

The high points in this city blessed with superlative highlights are the beaches of Copacabana, Ipanema, Leblon and Barra da Tijuca, the exquisitely beautiful women, the largest football stadium in the world, the Corcovadó, the Sugarloaf and - above everything else - the world famous carnival of Rio.

Every year at carnival time, Rio de Janeiro is swept up in the excitements of this unique celebration for five days. The Cariocas forget problems and duties, and live only for the gigantic drama of dance and enchantment. The climax of the festivities is the performance of the Samba schools in the Marquês de Sapucai, where the different schools compete for the carnival title of the year. Samba - vivid colors, seductive costumes and beautiful women are the most essential ingredients of this incomparable contest.

The sequence of pictures in this book provides Rio de Janeiro's visitor a possible route for the sights of the city: Corcovado - Arcos da Lapa - City Center - Imperial Palace of the Quinta da Boa Vista - Glória - Botafogo Bay - Sugarloaf - Copacabana - Ipanema - Lagoa Rodrigues de Freitas - Botanical Gardens - Panoramic lookout point Mirante do Leblon - São Conrado with Vila Riso - Barra da Tijuca - Cascatinha - Maracaña Football Stadium and Niterói with the Niemeyer Museum. The most spectacular views of the city are from Mirante Dona Marta, Corcovado, Sugarloaf and the mountain Pedra da Gávea.

For nature lovers, the Botanical Gardens, Floresta da Tijuca (Cascatinha), the beaches and the excursions to the untouched surrounding islands at Itacuruça, Angra and Paratí are recommended. The Serra dos Órgãos Mountains, Petropolis and Teresopolis are also worth a visit.

# RIO – LA VILLE MERVEILLEUSE

Lorsque des marins portugais pénétrèrent le 1er janvier 1502 dans la célèbre baie connue aujourd'hui sous le nom de Guanabara, ils pensaient avoir découvert l'estuaire d'un grand fleuve qu'ils baptisèrent « Fleuve de janvier » (Rio de Janeiro).

La ville en elle-même fut fondée le 1er mars 1565 par Estácio de Sà sous le nom de São Sebastião do Rio de Janeiro en l'honneur du roi du Portugal, Don Sebastião.

De 1763 jusqu'à la fondation en 1960 de Brasilia, capitale actuelle du Brésil, par le Président Kubitschek et les architectes Niemeyer et Costa, Rio de Janeiro fut la capitale du pays.

A la suite de l'invasion du Portugal par le général Junot des troupes de Napoléon, la maison royale portugaise transféra en 1808 son siège à Rio de Janeiro où le prince régent Don João VI fut couronné en 1815 roi du Royaume-Uni du Brésil, du Portugal et de l'Algarve, événement historique d'une importance décisive pour le développement de la nation brésilienne.

Du 17ème au 19ème siècle, l'essor économique de la ville fut favorisé par les exportations de sucre, d'or et de café. Après São Paulo, l'Etat de Rio de Janeiro est la deuxième ville industrielle la plus importante du pays, la capitale culturelle du pays ainsi qu'une ville touristique et un centre politique de première importance.

Plus de 6 millions de «CARIOCAS» (surnom des habitants de la ville) vivent à Rio de Janeiro. Un beau peuple, amical et gai, d'origine européenne, portugaise principalement, mélangé avec des descendants des esclaves africains et des Indiens du Brésil.

Au coeur d'une nature luxuriante, enchâssée entre mer et montagne, Rio de Janeiro est l'une des plus belles villes du monde et porte à juste titre le surnom de « Cidade Maravilhosa », ville merveilleuse.

Les principaux atouts de cette ville aux nombreux superlatifs sont les plages de Copacabana, Ipanema, Leblon et Barra da Tijuca, les jolies filles, le plus grand stade de football du monde, le Corcovado, le Pain de sucre et par-dessus tout le célèbre carnaval de Rio.

Chaque année à l'époque du carnaval, Rio de Janeiro vit au rythme de cette fête unique pendant 5 jours entiers. Les Cariocas oublient problèmes et obligations et ne vivent plus que pour le fantastique spectacle de danse et de magie qui se déroule dans toute la ville. Le point culminant du carnaval est le ballet des écoles de samba à la Marquês de Sapucai où les différentes écoles sont en compétition les unes avec les autres pour obtenir le titre du carnaval de l'année. La samba, les couleurs vives, les costumes enchanteurs et les jolies filles sont les principaux ingrédients de cette compétition féérique.

Les photos de ce livre représentent pour les visiteurs de Rio de Janeiro un itinéraire possible qui les guidera dans leur tour de la ville. Corcovado – Arcos da Lapa – centre-ville – Palais impérial de Quinta da Boa Vista – Glória – baie de Botafogo – Pain de sucre – Copacabana – Ipanema – Lagoa Rodrigues de Freitas – jardin botanique – point de vue de Mirante do Leblon – São Conrado avec Vila Riso – Barra da Tijuca – Cascatinha – stade de Maracaña et Niterói avec le musée Niemeyer. C'est de Mirante Dona Marta, du Corcovado, du Pain de sucre et de la montagne de Pedra da Gávea qu'on a la plus belle vue sur la ville.

Les amoureux de la nature pourront visiter le jardin botanique, la Floresta da Tijuca (Cascatinha) ou les plages et partir en excursion pour les îles encore préservées des environs à Itacuruça, Angra et Parati. La montagne des orgues, Petropolis et Teresopolis sont également à voir.

# RIO – WUNDERVOLLE STADT

Als portugiesische Segler am 1. Januar 1502 in die heute als Guanabara bekannte Bucht einliefen, glaubten sie, sie hätten die Mündung eines großen Flusses entdeckt und nannten diesen „Januarfluß" – Rio de Janeiro.

Die Stadt als solche wurde von Estácio de Sá unter dem Namen São Sebastião do Rio de Janeiro zu Ehren des Königs von Portugal, Don Sebastião, am 1. März 1565 gegründet.

Von 1763 bis zur Gründung Brasilias, der heutigen Hauptstadt des Landes, im Jahr 1960 war Rio de Janeiro die Hauptstadt Brasiliens.

Infolge der Invasion Portugals durch Napoleons General Junot verlegte das portugiesische Königshaus 1808 seinen Sitz nach Rio de Janeiro, wo 1815 der Prinzregent Don João VI zum König des Vereinten Königreiches Brasilien, Portugal und Algarven gekrönt wurde, ein geschichtliches Ereignis von ausschlaggebender Wichtigkeit für die Entwicklung der brasilianischen Nation.

Vom 17. bis zum 19. Jahrhundert wurde der wirtschaftliche Aufschwung der Stadt durch die Exporte von Zucker, Gold und Kaffee gefördert. Heute ist der Bundesstaat Rio de Janeiro nach São Paulo der zweitstärkste Industriestaat Brasiliens, die führende Kulturstadt des Landes, wichtige Fremdenverkehrsstadt und politisches Zentrum.

Mehr als 6 Millionen Cariocas, wie die Einwohner der Stadt genannt werden, bevölkern Rio de Janeiro. Ein freundliches, fröhliches, schönes Volk europäischen, vorwiegend portugiesischen Ursprungs, vermischt mit Nachkommen afrikanischer Sklaven und brasilianischer Indianer.

Inmitten einer außergewöhnlich reichhaltigen Natur, zwischen Meer und Bergen eingebettet, ist Rio de Janeiro eine der schönsten Städte der Welt und trägt mit Recht den Beinamen Cidade Maravilhosa – wundervolle Stadt.

Höhepunkte dieser von Superlativen geprägten Stadt sind die Strände von Copacabana, Ipanema, Leblon und Barra da Tijuca, die wunderschönen Frauen, das größte Fußballstadion der Welt, der Corcovado, der Zuckerhut und alles überragend der weltberühmte Karneval von Rio.

Jedes Jahr zur Karnevalszeit liegt Rio de Janeiro 5 Tage lang im Fieber dieses einmaligen Festes. Die Cariocas vergessen Probleme und Pflichten und leben nun für das gigantische Schauspiel aus Tanz und Zauber. Der Höhepunkt des Festes ist die Vorführung der Sambaschulen in der Marquês de Sapucaí, wo die verschiedenen Schulen um den Karneval-Titel des Jahres kämpfen. Samba, lebende Farben, bezaubernde Kostüme und schöne Frauen sind die wichtigsten Bestandteile dieses grandiosen Wettkampfes.

Die Bildreihenfolge dieses Buches gibt dem Besucher von Rio de Janeiro eine mögliche Route für seine Stadtbesichtigung vor: Corcovado – Arcos da Lapa – Stadtzentrum – Imperial-Palast der Quinta da Boa Vista – Glória – Botafogo-Bucht – Zuckerhut – Copacabana – Ipanema – Lagoa Rodrigues de Freitas – Botanischer Garten – Aussichtspunkt Mirante do Leblon – São Conrado mit Vila Riso – Barra da Tijuca – Cascatinha – Maracaña-Fußballstadion und Niterói mit Niemeyer-Museum. Die schönsten Blicke über die Stadt hat man vom Mirante Dona Marta, Corcovado, Zuckerhut und dem Berg Pedra da Gávea.

Für die Naturliebhaber empfiehlt sich der Botanische Garten, die Floresta da Tijuca (Cascatinha), die Strände und die Ausflüge zu den unberührten Inseln der Umgebung bei Itacuruça, Angra und Paratí. Sehenswert sind auch das Orgelgebirge, Petropolis und Teresopolis.

# RIO – CITTÀ MERAVIGLIOSA

Quando navigatori portoghesi il primo gennaio del 1502 approdarono nella baia oggi nota come Guanabara, credettero d'aver scoperto le foci di un grande fiume che chiamarono "fiume di gennaio" – Rio de Janeiro.

La città come tale venne fondata il primo marzo del 1565 da Estácio de Sá sotto il nome di São Sebastião do Rio de Janeiro in onore di Don Sebastião re di Portogallo.

Dal 1763 fino alla fondazione di Brasilia, l'odierna capitale del paese, nel 1960, sotto Kubitschek, insieme agli architetti Niemeyer e Costa, Rio de Janeiro era la capitale del Brasile.

In seguito all'invasione del Portogallo da parte del generale napoleonico Junot la casa reale del Portogallo trasferì la sua sede a Rio de Janeiro, dove nell'anno 1815 il principe regnante Don João VI venne incoronato a re del regno unito di Brasile, Portogallo e dell'Algarve, un avvenimento storico di importanza decisiva per l'evoluzione della nazione brasiliana.

Dal Seicento all'Ottocento la crescita economica della città venne incrementata dall'esportazione di zucchero, oro e caffè. Oggigiorno lo stato federale di Rio de Janeiro è, dietro Sao Paolo, il secondo stato industriale del Brasile e, inoltre, la principale città culturale del paese e un importante centro turistico e politico.

Più di sei milioni di "cariocas" – così vengono chiamati gli abitanti della città – animano Rio de Janeiro - un popolo cordiale, allegro e bello di origine europea, prevalentemente portoghese, mischiato con discendenti di schiavi africani e indiani brasiliani.

In mezzo ad una natura straordinariamente ricca, adagiata fra mare e montagne, Rio de Janeiro è una delle città più belle del mondo e, a buon diritto, porta il soprannome Cidade Maravilhosa – città meravigliosa.

I culmini di questa città di superlativi sono le spiaggie di Copacabana, Ipanema, Leblon e Barra da Tijuca, le bellissime donne, il più grande stadio di calcio di tutto il mondo, il Corcovado, il Pan di Zucchero e, primo fra tutti, il carnevale di Rio, famosissimo in tutto il mondo.

Ogni anno a carnevale Rio de Janeiro per cinque giorni è contagiata dalla febbre di questa festa unica al mondo. I cariocas dimenticano i loro problemi e doveri e vivono adesso per questo gigantesco spettacolo di danze e di incantesimi. L'apice della festa è la rappresentazione delle scuole di samba nelle Marquês de Sapucaí, dove le varie scuole di samba si affrontano per l'annuale titolo di carnevale. Samba, colori viventi, costumi incantati e belle donne sono gli ingredienti più importanti di questa grandiosa competizione.

La sequenza delle immagini del presente libro propone al visitatore di Rio de Janeiro un possibile itinerario per la visita della città: Corcovado – Arcos da Lapa – centro storico – palazzo imperiale di Quinta da Boa Vista – Glória – baia di Botafogo – Pan di Zucchero – Copacabana – Ipanema – Lagoa Rodrigues de Freitas – giardino botanico – belvedere Mirante do Leblon – São Conrado con Vila Riso – Barra da Tijuca – Cascatinha - stadio di calcio Maracana e Niterói con museo Niemeyer. Le più belle vedute panoramiche sulla città si hanno da Mirante Dona Maria, Corcovado, Pan di Zucchero ed dal monte Pedro da Gávea.

Per gli amanti della natura si consiglia il giardino botanico, la Floresta da Tijuca (Cascatinha), le spiagge e le escursioni alle inviolate isole dei dintorni presso Itacuruça, Angra e Paratí. Da vedersi sono anche le montagne della Serra dos Orgos, Petropolis e Teresopolis.

S. 23: La famosissima statua di Cristo sulla cima del monte Corcovado allarga le sue braccia sopra Rio de Janeiro.

S. 24: L'opera dello scultore francese Paul Maximilian Landowski del 1931 è alta 38 metri e pesa 1145 tonnellate.

S. 25: Una simpatica ferrovia a cremagliera si arrampica per una lunghezza di 3,5 km sul Corcovado alto 709 metri. A destra: Largo do Boticário.

S. 26: Veduta dal Corcovado sul centro di Rio. Sullo sfondo il famoso ponte Rio-Niterói lungo 14 km.

S. 27: Al calar del giorno veduta sulla Marina da Glória, il centro della città ed il ponte Rio-Niterói.

S. 28: Il tram storico Bondinho de Santa-Teresa attraversa l'acquedotto Arcos da Lapa del 1750 e passa accanto al convento di Santa Teresa.

S. 29: La Cattedrale Metropolitana al centro della città, alta 83 metri, venne costruita nel 1976.

S. 30: Variopinti mercati di spezie e bar dove frutti freschi vengono utilizzati per squisite bevande caratterizzano l'immagine della città di Rio.

S. 32: Il Teatro Municipal (1902-1906) è ispirato all'teatro dell'opera di Parigi. Qui hanno luogo i grandi avvenimenti musicali di Rio.

S. 33: La Confeitaria Colombo fondata nel 1894 è uno dei simboli storici della città e un'ottima occasione per prendervi il tè e altre golosità.

S. 34: Il Museo Storico Nazionale offre una buona impressione della storia del Brasile. Fra i 300.000 esponati si trova anche l'avorio della famiglia imperiale.

S. 35: Tradizionali ceramiche portoghesi. Chiesa São José

S. 36: Il Paço Imperial (1743), una volta residenza ufficiale dell' imperatore, oggi centro di arte contemporanea.

S. 37: Il monastero São Bento venne costruito nel 1617 dai benedettini ed è una delle opere principali del barocco brasiliano.

S. 39: Carnevale: sfilata delle scuole di samba nel sambodromo costruito nel 1983 da Oscar Niemeyer.

S. 40: Il famoso carnevale di Rio per via della sua grandiosità e bellezza attrae tutti gli anni centinaia di migliaia di persone di tutto il mondo.

S. 41: Samba, stupendi costumi e belle donne sono gli ingredienti principali del carnevale di Rio.

S. 42: Sfilata delle scuole di samba nel sambodromo

S. 43: Le varie scuole di samba si disputono fra di loro il titolo di campione di carnevale.

S. 44: Il palazzo imperiale di Quinta da Boa Vista era la residenza preferita degli imperatori del Brasile. Oggi vi sono il museo nazionale ed il giardino zoologico.

S. 46: Monumento in onore dei caduti della seconda guerra mondiale.

S. 47: Monumento in onore di Zumbi dos Palmares, uno dei maggiori capi della liberazione degli schiavi.

S. 48: La chiesa da Glória (1739) con, sullo sfondo, il Corcovado e la statua del Redentore.

S. 49: Baia Botafogo e Pan di zucchero, da dove il visitatore può godere una delle più belle viste su Rio.

S. 51: La salita del Pan di Zucchero in funivia è uno dei pezzi forti per ogni visitatore di Rio.

S. 52: La funivia sul Pan di Zucchero con vista su Praia Vermelha, Copacabana, Morro dois Irmãos e Pedra da Gávea.

S. 53: Vista dal Pan di Zucchero su Rio al calar del sole.

S. 54: Copacabana: la spiaggia forse più famosa del mondo esibisce la sua bellezza su una lunghezza di 4 km.

S. 56: Vista sulla Copacabana verso il mare aperto.

S. 57: Le spiagge di Copacabana e Leme. Sullo sfondo il Pan di Zucchero.

S. 60: Il fine settimana centinaia di migliaia di cariocas affollano la Copacabana.

S. 62: Macumba, rituale afro-brasiliano nella notte di San Silvestro.

S. 64: Vista dal Arpoador sulle spiagge di Leblon e Ipanema. Sullo sfondo Morro dois Irmãos e Pedra da Gávea.

S. 65: Un assolato fine settimana sulla spiaggia di Ipanema.

S. 66: Il surf è uno degli sport preferiti dei cariocas.

S. 68: Esercizi sulla spiaggia: il carioca tiene alta la cura del corpo e la bellezza.

S. 70: Il mercato Hippie a Ipanema è una meta d'obbligo per gli amanti dell'artigianato brasiliano.

S. 72: Veduta aerea della Lagoa Rodrigues de Freitas, dell'ippodromo e del Corcovado. Sullo sfondo le spiagge di Ipanema e Leblon.

S. 73: Ogni anno, nel periodo natalizio, la Lagoa Rodrigues de Freitas viene abbellita da un galleggiante albero di natale illuminato.

S. 74: Nell'ippodromo di Rio de Janeiro si svolgono importanti corse ippiche.

S. 75: Il giardino botanico incanta i visitatori attraverso la molteplicità delle piante. Qui: ibisco e palme imperiali.

S. 78: Una delle preferite corsie di biciclette passa lungo la costa e le spiagge di Rio.

S. 79: Il sorgere del sole a Leblon. Rio de Janeiro impressiona per la perfetta simbiosi tra metropoli e natura.

S. 80: Vista dal Mirante do Leblon fino al Arpoador.

S. 81: Un pescatore lungo la costa rocciosa fra Leblon e São Conrado.

S. 82: Vila Riso – una casa coloniale del 1849.

S. 83: Veduta dalla Pedra Bonita a São Conrado ed il club di golf. Sullo sfondo il Morro Dois Irmãos.

S. 84: La superstrada tra São Conrado e Barra da Tijuca.

S. 85: La Praia da Joatinga fra São Conrado e Barra da Tijuca è bella e relativamente tranquilla.

S. 86: Barra da Tijuca. Un quartiere di Rio che cresce costantemente.

S. 87: Bagnanti si godono una giornata di sole. Corpi allenati e sensualità sono gli ingredienti principali della bellezza carioca.

S. 88: Cascatinha – la cascata nella riserva naturale di Tijuca.

S. 89: Lo stadio di Maracanã: lo stadio di calcio più famoso di tutto il mondo.

S. 90: Ponte Rio-Niterói: il ponte lungo 14 km collega le due città.

S. 91: Museo Niterói: una delle opere principali del famosissimo architetto Oscar Niemeyer.

S. 93: Petrópolis: il palazzo imperiale (1843), oggi museo.

S. 94: Itacuruçá: "Saveiros", imbarcazioni da diporto, portano i turisti sulle stupende isole vergini della regione.

11

# リオー魅惑の街

1502年1月1日、今日グアナバラ湾として知られるこの入り江に入港したポルトガルの航海者たちは、ここを大きな河口と思い「1月の河ーリオ・デ・ジャネイロ」と名付けた。

この街は1565年3月1日、エスタシオ・デ・サオによって、ポルトガル王ドン・セバスティアオをたたえてサン・セバステティアオ・ド・リオ・デ・ジャネイロという名のもとに建設された。

1960年にこの国の首都ブラジリアスが設立されるまでは、1763年来リオデジャネイロがブラジルの首都であった。

ナポレオン軍の将官ジュノがポルトガルを侵略した結果、ポルトガル王家がリオデジャネイロに遷都し、1815年摂政官ドン・ジョアオ6世がブラジル、ポルトガルとアルガルヴィの連合王国の王となり、戴冠式を行った。このことが、後のブラジルの発展にとって決定的な歴史的出来事であったのである。

17から19世紀間にこの都市は砂糖、金とコーヒーの輸出により、経済的に飛躍的発展を遂げた。今日では、リオデジャネイロはサン・パオロに次ぐ第二の工業都市で、また国を代表する文化都市でもあり、観光業界にとっても重要な政治の中心地である。

600万人を超えるリオデジャネイロ市民は「カリオカ」と呼ばれる。彼らはポルトガルを中心とするヨーロッパ各地からの移民や、奴隷として連れてこられたアフリカ人や土着のインディオなどの子孫で、人なつこく陽気で美しい人々である。

海と山に囲まれた豊かな大自然のなかにあって、リオデジャネイロは世界でもっとも美しい街のひとつである。「シダーデ・マラヴィローサ」ー輝く夢の街という愛称はこの街のためにあるようなものである。

魅惑あふれるこの街の代表的な例は、コパカバーナ、イパネマ、レブロンやバハ・ダ・ティジューカの海岸線、美しい娘たち、世界一のサッカースタジアム、コルコバード山、パオ・ジ・アスカー、そして何よりも世界に名だたるリオのカーニバルであろう。

毎年、このカーニバルの時期には5日間街中がフィーバーする。カリオカたちは日常の問題や仕事などそっちのけで、踊りと祭りに明け暮れるのである。カーニバルのハイライトはマルケ・デ・サプサイで行われるサンバ学校のダンス行列であり、カーニバルのコンテストタイトルを狙って、いろいろな学校がサンバを競うのである。サンバ、見事なカラー、素晴らしいコスチューム、美人たち、これらは大掛かりなコンテストに勝つための大切な条件なのだ。

この本の写真の順番を追ってリオデジャネイロの市内観光が楽しめる。コルコバード山ーアルコス・ダ・ラパーセントロー旧王宮ーグロリアーボタファゴ湾ーパオ・ジ・アスカーーコパカバーナーイパネマーロドリゴ・デ・フレイタス湖ー植物園ーレブロンーヴィラ・リソーバーハ・ダ・ティジューカーカスカティンニャーマラカナン・サッカースタジアムーニテロイとニーマイヤー博物館など。ミランテ・ドナ・マルタやコルコバード山、パオ・ジ・アスカーそしてペドロ・ダ・ガヴェア山からの街の眺望は絶景である。

自然愛好家には、植物園、フロレスタ・ダ・ティジューカ（カスカティンニャ）、イタクルーサやアングラ、パラティ周辺の自然のままの島々をお勧めする。ペトロポリスやテレソポリスも素晴らしい名所である。

# RIO – CIUDAD MARAVILLOSA

El día 1 de enero de 1502, navegantes portugueses avistaron la bahía de Guanabara. Creyendo que se trataba de la desembocadura de un río grande, le dieron el nombre "Río de Enero" - Rio de Janeiro, dando el origen al nombre de la ciudad.

La ciudad en sí fue fundada en 1565 por Estácio de Sá con el nombre de São Sebastião do Rio de Janeiro, en homenaje al entonces Rey de Portugal, Don Sebastião.

Doscientos años más tarde, en 1763 Rio de Janeiro se convirtió en la capital de Brasil, un título que mantuvo hasta el 1960, cuando fue inaugurada Brasilia, la actual capital del país, bajo la actuación de Kubitschek en colaboración con los arquitectos Niemeyer y Costa.

Debido a las guerras napoleónicas, la familia real portuguesa trasladó su sede en 1808 a Rio de Janeiro, donde en 1815 el Príncipe Regente Don João VI fue coronado Rey del Reino Unido de Brasil, Portugal y Algarves, un acontecimiento histórico que fue de mayor importancia para el desarrollo de la nación brasileña.

La economía de la ciudad tuvo un notable impulso a partir del siglo XVII por las exportaciones de azúcar, de oro y de café. Hoy en día el Estado de Rio de Janeiro es, después de São Paulo, el segundo centro industrial de Brasil, un polo muy importante de turismo y además es la principal ciudad cultural del país y un importante centro político.

Pueblos europeos, principalmente portugueses, se mezclaron con esclavos africanos e indios brasileños, dando origen a un pueblo gentil, alegre e interesante que compone la población de más de 6 millones de "Cariocas", como se llaman los habitantes de la ciudad.

Situada en medio de un paisaje privilegiado por la naturaleza, entre el mar y las montañas, la ciudad de Rio de Janeiro es una de las más bellas del mundo y se merece el título de "Cidade Maravilhosa" - ciudad maravillosa.

Entre los superlativos de esta ciudad resaltan las playas de Copacabana, Ipanema, Leblon, y Barra da Tijuca, las bonitas mujeres, el Maracanã - el mayor estadio de fútbol del mundo, el Corcovado, el Pan de Azúcar y sobre todo el famoso Carnaval de Rio.

Todos los años en la época de Carnaval, la ciudad de Rio de Janeiro respira durante cinco días un incomparable aire de alegría. Los cariocas olvidan problemas y obligaciones y viven solamente el gigantesco espectáculo de danza y magia. El auge de la fiesta es el desfile del grupo especial en el Marquès de Sapucaí, donde diversas Escuelas de Samba disputen entre sí el título de Campeón de Carnaval. Samba, colores vivos, trajes espléndidos y mujeres bonitas son los principales ingredientes de esta disputa grandiosa.

El orden de las fotografías de este libro representa una posible ruta para la visita de Rio de Janeiro: Corcovada - Arcos da Lapa - Centro de la ciudad - Palácio Imperial da Quinta da Boa Vista - Glório - Bahía de Botafogo - Pan de Azúcar - Copacabana - Ipanema - Lagoa Rogrigues de Freitas - Jardín Botánico - Mirador Mirante do Leblon - São Conrado con Vila Riso - Barra da Tijuca - Cascatinha - Estadio de Maracanã y Niterói con el Museo de Niemeyer. Las vistas más bonitas sobre la ciudad se tiene desde el mirador Mirante Dona Marta - Corcovado - Pan de Azúcar y Pedra de Gávea.

Para los amantes de la naturaleza aconsejamos el Jardín Botánico, la Floresta da Tijuca (Cascatinha), las playas y excursiones a las Ilhas Virgens, en las proximidades cerca de Itacuruçá, Angra y Paratí. También vale la pena visitar la Serra dos Orgãos, Petrópolis y Teresópolis.

*A estátua do **Cristo Redentor** está no alto do morro „**Corcovado**", abrindo os braços para o Rio de Janeiro.*
*The world famous **Christ the Redeemer statue** at the summit of **Corcovado** extends its arms over Rio de Janeiro.*
*La célèbre **statue du Christ rédempteur** étend ses bras sur Rio de Janeiro du haut du **Corcovado.***
*Die weltberühmte **Christusstatue** am Gipfel des **Corcovado** breitet ihre Arme über Rio de Janeiro aus.*
*La famosa estatua de **Cristo Redentor** se encuentra en la cima del **Corcovado,** abriendo los brazos por encima de Rio de Janeiro.*

23

*Inaugurada no dia 12 de Outubro de 1931 a obra do escultor francês **Paul Maximilian Landowski,** tem 38 metros de altura e pesa 1145 toneladas.*
*The creation of French sculptor **Paul Maximilian Landowski,** from 1931, is 38 meters high and weighs 1145 tons.*
*La statue réalisée en 1931 par le sculpteur français **Paul Maximilian Landowski** mesure 38 mètres et pèse 1145 tonnes.*
*Das Werk des französischen Bildhauers **Paul Maximilian Landowski** aus dem Jahre 1931 ist 38 Meter hoch und wiegt 1145 Tonnen.*
*Inaugurado el día 12 de octubre de 1931, la obra del escultor francés **Paul Maximilian Landowski,** tiene 38 metros de altura y pesa 1145 toneladas.*

*À esquerda: O simpático bondinho sobe por 3,5 km até o alto do Corcovado, a 709 metros. À direita:* **Largo do Boticário.**
*A picturesque cog-rail train wends its way along a 3.5 km route to the top of Corcovado, 709 meters altitude. Right:* **Largo do Boticário** *(Pharmacist Square).*
*Un sympathique petit train à crémaillère grimpe sur 3,5 km jusqu'au sommet du Corcovado situé à 709 m d'altitude. A droite :* **Largo do Boticário** *(place des pharmaciens).*
*Eine sympathische Zahnradbahn erklimmt in einer Strecke von 3,5 km den 709 Meter hohen Corcovado. Rechts:* **Largo do Boticário** *(Apothekerplatz).*
*A la izquierda: un simpático funicular sube a lo largo de 3,5 km hasta la cima del Corcovado, a 709 metros. A la derecha:* **Largo do Boticário** *(Plaza del boticario).*

O centro da cidade visto do alto do Corcovado e a famosa **ponte Rio-Niterói** com 14 km de extensão.
View from Corcovado over the city center of Rio. In the background, the famous 14-km long **Rio Niterói Bridge.**
Vue du Corcovado sur le centre-ville de Rio avec à l'arrière plan le célèbre **pont Rio-Niterói** de 14 km de long.
Blick vom Corcovado auf das Stadtzentrum von Rio. Im Hintergrund die berühmte 14 km lange **Rio-Niterói-Brücke.**
El centro de la ciudad visto desde la cima del Corcovado. En el fondo el famoso **puente Rio-Niterói** con 14 km de extensión.

Entardecer na **Marina da Glória** com o centro da cidade e a ponte Rio-Niterói ao fundo.
*Twilight view over **Marina da Glória,** the city center and the Rio Niterói Bridge.*
*Vue au crépuscule sur la **Marina da Glória,** le centre-ville et le pont Rio-Niterói.*
*Blick in der Abenddämmerung auf die **Marina da Glória,** das Stadtzentrum und die Rio-Niterói-Brücke.*
*Atardecer en **Marina da Glória** con el centro de la ciudad y el puente Rio-Niterói en el fondo.*

*O Histórico* **Bondinho de Santa-Teresa** *atravessa os* **Arcos da Lapa,** *construídos de 1744 a 1750, passando pelo* **Convento de Santa-Teresa.**
*The* **Bondinho de Santa Teresa,** *an historic tram, crosses the aquaduct* **Arcos da Lapa,** *built in 1750, and passes* **Santa Theresa Convent.**
*Le* **Bondinho de Santa-Teresa,** *tram historique, traverse l'aqueduc* **Arcos de Lapa** *construit en 1750 et passe devant le* **cloître Santa-Teresa.**
*Die* **Bondinho de Santa-Teresa,** *eine historische Straßenbahn, überquert den Aquädukt* **Arcos da Lapa** *aus dem Jahre 1750 und passiert das* **Santa-Theresa-Kloster.**
*El* **Bondinho de Santa-Teresa,** *un tranvía histórico, cruza los* **Arcos da Lapa,** *construidos de 1744 a 1750, pasando por el* **Convento de Santa-Teresa.**

A **Catedral Metropolitana,** no centro da cidade, mede 83 metros de altura e foi construída em 1976.
The **New Cathedral,** built in 1976, is located at city center. It is 83 meters high.
La **nouvelle cathédrale,** construite en 1976, se trouve au centre-ville et mesure 83 mètres de haut.
Die **Neue Kathedrale** liegt im Stadtzentrum, wurde 1976 erbaut und misst eine Höhe von 83 Metern.
La **Catedral Metropolitana,** en el centro de la ciudad, mide 83 metros de altura y fue construida en 1976.

*Feiras de especiarias e suco de frutas frescas, preparado na hora, fazem parte da rotina do carioca.*
*Colorful spice markets and street bars, where fresh fruits are used to concoct delicious drinks, are an essential part of life in Rio.*
*Les marchés aux épices colorés et les bars de rue qui proposent de délicieuses boissons à base de fruits frais font partie de l'image de Rio.*
*Bunte Gewürzmärkte und Straßenbars, in denen frische Früchte zu köstlichen Getränken verarbeitet werden, prägen das Stadtbild Rios.*
*Mercados de especias y zumos de frutas frescas, preparados en el momento, dan sabor a la vida cotidiana de la ciudad.*

*Largo da Carioca, Petrobrás, Catedral, Convento de Santo Antônio.*

O **Teatro Municipal** (1902–1906) tem diversos elementos da casa de Ópera de Paris e serve de palco para os grandes eventos musicais da cidade.
**Teatro Municipal** (1902-1906) is modeled on the Paris Opera. This is the venue of the great music events of Rio de Janeiro.
Le **Teatro Municipal** (1902-1906) s'inspire de l'opéra de Paris. C'est là que se donnent tous les grands concerts de Rio de Janeiro.
Das **Teatro Municipal** (1902–1906) ist der Pariser Oper nachempfunden. Hier finden die großen Musikereignisse von Rio de Janeiro statt.
**El Teatro Municipal** (1902-1906) tiene varios elementos de la Casa de Ópera de París y sirve de escenario para grandes eventos musicales de la ciudad.

A **Confeitaria Colombo,** fundada em 1894, é marco histórico da cidade e ótima opção para chá e guloseimas.
**Confeitaria Colombo,** from 1894, is an historical city sight. Tea-time here is a wonderful experience.
La **Confeitaria Colombo** qui date de 1894 est l'une des curiosités historiques de la ville. Cela vaut la peine d'aller y prendre le thé.
Die **Confeitaria Colombo** aus dem Jahre 1894 ist eine historische Sehenswürdigkeit der Stadt. Es lohnt sich, hier die Teestunde zu verbringen.
La pastelería **Confeitaria Colombo,** fundada en 1894, es un monumento histórico de la ciudad. Vale la pena tomar aquí al té.

*O **Museu Histórico Nacional** expõem a história do Brasil, tendo uma coleção com mais de 300.000 unidades, como maquetes em marfim da família imperial.*
*The **National Historical Museum** provides a valuable insight into Brazilian history. Included among the 300,000 exhibits is the precious ivory of the imperial family.*
*Le **Musée d'histoire naturelle** donne une bonne idée de l'histoire du Brésil. Parmi les 300000 objets exposés, on trouve les ivoires délicats de la famille royale.*
*Das **Nationalhistorische Museum** gewährt einen guten Einblick in die brasilianische Geschichte. Unter 300.000 Exponaten befindet sich auch edles Elfenbein der kaiserlichen Familie.*
*El **Museo Histórico Nacional** expone la historia de Brasil, tiene una colección de más de 300.000 obras, como maquetas en marfil de la familia imperial.*

As tradicionais cerâmicas portuguesas.
Traditional Portuguese ceramic work.
Céramique portugaise traditionnelle
Traditionelle portugiesische Keramik.
Las tradicionales cerámicas portuguesas.

**Igreja de São José**

O **Paço Imperial (1743),** era a residência oficial do imperador durante o Brasil Império, sendo hoje um centro consagrado de arte contemporânea.
The **Paço Imperial (1743),** at one time the Imperial City Palace, is today a center of contemporary art.
Le **Paço Imperial (1743),** jadis palais impérial, abrite aujourd'hui un centre d'art contemporain.
Der **Paço Imperial (1743),** einst der Kaiserliche Stadtpalast, ist heute ein Zentrum für zeitgenössische Kunst.
El **Paço Imperial (1743),** era la residencia oficial del emperador durante el Imperio brasileño, siendo hoy en día un centro consagrado al arte contemporánea.

O **Mosteiro de São Bento,** construído pelos Beneditos em 1617, é um marco do barroco brasileiro.
The **São Bento Monastery** was built by Benedictine monks in 1617. It is one of the major Baroque architectural works of Brazil.
Le **cloître São-Bento,** construit en 1617 par les Bénédictins, est l'une des oeuvres baroques majeures du Brésil.
Das **São-Bento-Kloster** wurde 1617 von Benediktinern erbaut und ist eines der Hauptwerke des brasilianischen Barocks.
El monasterio **Mosteiro de São Bento,** construido por los Benedictinos en 1617, es una obra maestra del barroco brasileño.

*Avenida Presidente Vargas* e *Igreja da Candelária (1705–1898)*

**Carnaval:** *desfile de samba no* **Sambódramo** *que foi construido em 1983 por* **Oscar Niemeyer**
**Carnival:** *the parade of the Samba schools in the* **Sambadromo,** *built by* **Oscar Niemeyer** *in 1983.*
**Carnaval :** *défilé des écoles de Samba au* **Sambódramo,** *construit en 1983 par* **Oscar Niemeyer.**
**Karneval:** *Defilee der Sambaschulen im* **Sambadrom,** *das 1983 von* **Oscar Niemeyer** *erbaut wurde.*
**Carnaval:** *desfile de samba en el* **Sambódramo** *que fue construido en 1983 por* **Oscar Niemeyer.**

39

*O famoso Carnaval do Rio de Janeiro, atrai todos os anos multidões de todo mundo, que se encantam com a grandiosidade e a beleza da folia carioca.*
*The famous Carnival of Rio draws hundreds of thousands of visitors each year through its size and magnificence.*
*Le prestigieux et éblouissant carnaval de Rio, connu dans le monde entier, attire chaque année des centaines de milliers de personnes.*
*Der berühmte Karneval von Rio lockt durch seine Größe und Pracht jedes Jahr hunderttausende Menschen an.*
*El famoso Carnaval de Rio de Janeiro, atrae todos los años multitudes de todo el mundo, encantados con la grandiosidad y la belleza de la alegría carioca.*

Samba, cores vivas, fantasias esplêndidas e mulheres bonitas são os principais ingredientes desta festa grandiosa.
Samba: magnificent costumes and beautiful women are the main ingredients of this fabulous fest.
La samba, les splendides costumes et les jolies filles sont les principaux ingrédients de cette fête très bruyante.
Samba, prachtvolle Kostüme und schöne Frauen sind die Ingredienzien für dieses rauschende Fest.
Samba, colores vivos, trajes espléndidos y hermosas mujeres son los principales ingredientes de esta fiesta grandiosa.

*O auge da festa é o desfile do grupo especial na* **Marquês de Sapucaí.**
*Climax of the carnival is the parade of the "Grupo especial," (best Samba schools) in the* **Sambadromo.**
*Le clou du carnaval est le défilé du « Grupo especial » (les meilleures écoles de samba) au* **Sambódramo.**
*Der Höhepunkt des Karnevals ist das Defilee des „Grupo especial" (= die besten Sambaschulen) im* **Sambadrom.**
*El auge de la fiesta es el desfile del grupo especial (las mejores escuelas de samba) en el* **Sambódromo.**

As diversas escolas de samba disputam entre si o título de campeã do Carnaval.
Here the Samba schools compete for victory in the great carnival contest.
Les écoles de samba concourent pour gagner le titre de la meilleure école du carnaval.
Hier kämpfen die Sambaschulen um den Sieg im Karnevalsbewerb.
Las diversas escuelas de samba disputan entre sí el título de Campeón de Carnaval.

43

O **Palácio Imperial da Quinta da Boa Vista** era a residência escolhida pelos imperadores do Brasil Império. Hoje é **museu nacional** e **jardim zoológico**.
The **Palácio Imperial da Quinta da Boa Vista** was the favorite residence of the Brazilian Emperor. Today: **National Museum** and **Zoological Gardens**.
Le **Palácio Imperial da Quinta da Boa Vista** était la résidence préférée des empereurs du Brésil. Aujourd'hui : **musée national** et **jardin zoologique**.
Der **Palácio Imperial da Quinta da Boa Vista** war die bevorzugte Residenz der brasilianischen Kaiser. Heute: **Nationalmuseum** und **Zoologischer Garten**.
El **Palácio Imperial da Quinta da Boa Vista** era la residencia escogida por los emperadores del Imperio brasileño. Hoy es el **Museo Nacional** y el **Jardín Zoológico**.

*Jacaré*

*Tucano*

*Monumento em homenagem aos mortos da Segunda Guerra Mundial.*
*Memorial to the fallen from the Second World War.*
*Monument aux morts de la deuxième guerre mondiale.*
*Denkmal zu Ehren der Gefallenen des Zweiten Weltkrieges.*
*Monumento en homenaje a los muertos de la Segunda Guerra Mundial.*

Monumento em homenagem a **Zumbi dos Palmares,** importante líder na luta contra a escravatura.
Memorial to **Zumbi dos Palmares,** national leader of the slave liberation movement.
Monument érigé en l'honneur de **Zumbi dos Palmares,** leader de l'affranchissement des esclaves.
Denkmal zu Ehren von **Zumbi dos Palmares,** dem wichtigen Führer der Sklavenbefreiung.
Monumento en homenaje a **Zumbi dos Palmares,** importante líder en la lucha contra la esclavitud.

*Igreja da Glória (1739)* e Corcovado com Cristo Redentor.
The *Igreja da Glória (1739)* with the Corcovado and statue of the Redeemer in the background.
La *Igrega da Glória (1739)* avec au fond le Corcovado et la statue du Christ rédempteur.
Die *Igreja da Glória (1739)* mit dem Corcovado und der Erlöserstatue im Hintergrund.
La *Igreja da Glória (1739)* y el Corcovado con el Cristo Redentor en el fondo.

Na junção entre a **Baía de Guanabara** e o mar aberto, tem se uma vista privilegiada sobre o **Rio de Janeiro.**
At the outer edge of the **Guanabera Bay** towards the open sea, one has an extraordinary view of **Rio de Janeiro.**
A la sortie de la **baie de Guanabera** en direction de la haute mer, on jouit d'une vue exceptionnelle sur **Rio de Janeiro.**
Am Ausgang der **Guanabara-Bucht** zum offenen Meer genießt man einen außergewöhnlichen Blick auf **Rio de Janeiro.**
A la salida de la **Bahía Guanabera** hacia mar abierto, se disfruta de una vista extraordinaria de **Rio de Janeiro.**

49

1) Pedra da Gávea
2) Morro Dois Irmãos
3) Leblon-Ipanema

4) Copacabana
5) Praia Vermelha
6) Botafogo

7) Pão de Açúcar
8) Praia de Botafogo
9) Corcovado

*O passeio de bondinho para o Pão de Açúcar é uma grande atração para o visitante do Rio de Janeiro.*
*A cablecar ride to the Sugarloaf is a highlight for every visitor to Rio de Janeiro.*
*Le trajet en téléphérique jusqu'au Pain de sucre offre aux visiteurs l'un des plus beaux spectacles de Rio de Janeiro.*
*Eine Seilbahnfahrt auf den Zuckerhut ist ein Höhepunkt für jeden Besucher von Rio de Janeiro.*
*El viaje en teleférico hasta el Pan de Azúcar es un recuerdo inolvidable para el visitante de Rio de Janeiro.*

51

**Bondinho de Pão de Açúcar** *com vista para a Praia Vermelha, Copacabana, Morro Dois Irmãos e Pedra da Gávea.*
*The* **Sugarloaf cablecar,** *with view over the Praia Vermelha, Copacabana, Morro Dois Irmãos and Pedra da Gávea.*
*Le* **téléphérique du Pain de sucre** *avec vue sur la Praia Vermelha, Copacabana, Morro Dois Irmãos et Pedra da Gávea.*
**Zuckerhut-Seilbahn** *mit Blick auf die Praia Vermelha, Copacabana, Morro Dois Irmãos und Pedra da Gávea.*
*El teleférico del Pan de Azúcar* **Bondinho de Pão Açúcar** *con vista a las playas Praia Vermelha, Copacabana, Morro Dois Irmãos y Pedra da Gávea.*

*Vista do Pão de Açúcar ao Por do Sol.*
*View at sunset from Sugarloaf over Rio.*
*Vue du Pain de sucre sur Rio au coucher du soleil.*
*Blick vom Zuckerhut auf Rio bei Sonnenuntergang.*
*Vista del Pan de Azúcar a la puesta del sol sobre la ciudad.*

**Copacabana:** *A praia mais conhecida do mundo esbanja beleza ao longo de seus 4 km.*
*doubtless the best known beach in the world, it unfolds its splendors over a stretch of 4 kilometers.*
*la plage la plus connue au monde expose ses beautés sur 4 km.*
*Der wohl bekannteste Strand der Welt entfaltet seine Schönheit auf einer Länge von 4 km.*
*La playa más conocida del mundo desenvuelve su belleza a lo largo de sus 4 km.*

*Vista sobre Copacabana para o mar aberto.*
*View over the Copacabana and the open sea.*
*Vue sur le large à Copacabana.*
*Blick auf die Copacabana gegen das offene Meer.*
*Vista a la Copacabana hacia el mar abierto.*

*Praias de **Copacabana** e **Leme.** No fundo, à esquerda, o Pão de Açúcar.*
*The **Copacabana** and **Leme** beaches. In the background, Sugarloaf.*
*Les plages de **Copacabana** et **Leme.** En arrière-plan, le Pain de sucre.*
*Die Strände der **Copacabana** und **Leme.** Im Hintergrund der Zuckerhut.*
*Playas de **Copacabana** y **Leme.** En el fondo a la izquierda el Pan de Azúcar.*

*Nos finais de semana milhares de cariocas lotam a praia de Copacabana.*
*On weekends, hundreds of thousands of "Cariocas" flock to Copacabana beach.*
*Des centaines de milliers de « Cariocas » se rendent à Copabacana le week-end.*
*Am Wochenende bevölkern hunderttausende „Cariocas" die Copacabana.*
*Miles de cariocas pasan los fines de semana en la playa de Copacabana.*

*Macumba, Candomble, Festa de Iemanjá na passagem do Ano Novo*
*Macumba, Afro-Brazilian ritual at New Year's Eve*
*La Macumba, ritual Afro-Brésilien la nuit de Nouvel An*
*Macumba, afro-brasilianisches Ritual in der Neujahrsnacht*
*La Macumba, ritual afro-brasileño en la noche del Año Nuevo*

*Vista do **Arpoador** para as praias de **Leblon** e **Ipanema.** Ao fundo, **Morro dois Irmãos** e **Pedra da Gávea.***
*View from **Arpoador** over the **Leblon** and **Ipanema** beaches. In the background, **Morra dois Irmãos** and **Pedra da Gávea.***
*Vue de **Arpoador** sur les plages de **Leblon** et **Ipanema.** A l'arrière-plan, le **Morro dois Irmãos** et **Pedra da Gávea.***
*Aussicht vom **Arpoador** auf die Strände **Leblon** und **Ipanema.** Im Hintergrund der **Morro dois Irmãos** und **Pedra da Gávea.***
*Vista desde el **Arpoador** a las playas **Leblon** y **Ipanema.** En el fondo el **Morro Dois Irmãos** y **Pedra da Gávea.***

*Fim de semana ensolarado na praia de Ipanema.*
*A sunny weekend at Ipanema beach.*
*Un week-end ensoleillé sur la plage d'Ipanema.*
*Ein sonniges Wochenende am Ipanema-Strand.*
*Un fin de semana soleado en la playa de Ipanema.*

*O surf é uma das atividades esportivas preferidas dos cariocas.*
*Surfing is one of the Cariocas' favorite sports.*
*Le surf fait partie des passe-temps favoris des Cariocas.*
*Surfen zählt zu den Lieblingssportarten der Cariocas.*
*El surf es una de las actividades deportivas preferidas de los cariocas.*

*Exercícios na praia: o carioca valoriza o culto ao corpo e a beleza.*
*Fitness exercises on the beach. Trained, well-formed bodies are a matter of great importance to the Cariocas.*
*Fitness sur la plage. Le Carioca accorde une grande importance à l'entraînement physique.*
*Fitnesstraining am Strand. Der Carioca legt besonderen Wert auf trainierte, wohlgeformte Körper.*
*Ejercicios en la playa: el carioca estima el culto al cuerpo y la belleza.*

A **Feira Hippie** em Ipanema é visita obrigatória para amantes do artesanato brasileiro.
The **Hippie Market** in Ipanema is a worthwhile stop for lovers of Brazilian handicrafts.
Le **marché hippie** à Ipanema est un but de visite indispensable pour les amateurs d'artisanat brésilien.
Der **Hippie-Markt** in Ipanema ist ein lohnendes Ziel für Freunde brasilianischen Kunsthandwerkes.
La **Feira Hippie** en Ipanema es una visita obligatoria para los amantes del artesanato brasileño.

Vista aérea sobre a **Lagoa Rodrigues de Freitas, hipódromo** e **Corcovado.** *A praia no fundo é* **Ipanema-Leblon.**
Aerial photo of **Lagoa Rodrigues de Freitas,** the **Hippodrome** and the **Corcovado.** *In the background,* **Ipanema** and **Leblon** beaches.
*Vue aérienne de* **Lagoa Rodrigues de Freitas,** *de l'hippodrome et du* **Corcovado.** *Au fond, les plages de* **Ipanema** *et* **Leblon.**
*Luftbild der* **Lagoa Rodrigues de Freitas,** *der* **Pferderennbahn** *und des* **Corcovado.** *Im Hintergrund die Strände von* **Ipanema** *und* **Leblon.**
*Vista aérea de la laguna* **Lagoa Rodriguez de Freitas, hipódromo** *y el* **Corcovado.** *La playa en el Fondo es* **Ipanema-Leblon.**

*Todos os anos, na época de natal, uma árvore de natal flutuante embeleza a já esplêndida paisagem da* **Lagoa Rodrigo de Freitas.**
*Every year at Christmastime, a floating, illuminated Christmas Tree adorns the* **Lagoa Rodrigo de Freitas.**
*Chaque année au moment de Noël, un sapin flottant illuminé décore la* **Lagoa Rodrigo de Freitas.**
*Jedes Jahr zur Weihnachtszeit schmückt ein schwimmender, beleuchteter Weihnachtsbaum die* **Lagoa Rodrigo de Freitas.**
*Todos los años en la época de Navidad, un árbol de Navidad flotante embellece el ya esplêndido paisaje de la laguna* **Lagoa Rodrigo de Freitas.**

O **Hipódromo** do Rio de Janeiro é palco de importantes corridas de cavalos.
The **Hippodrome** of Rio de Janeiro is the venue of the important horse races.
L'**hippodrome** de Rio de Janeiro est la scène de courses de chevaux importantes.
Das **Hippodrom** von Rio de Janeiro ist Schauplatz von wichtigen Pferderennen.
El **hipódromo** de Rio de Janeiro es escenario de importantes carreras de caballos.

O **Jardim Botânico** encanta por sua variedade ecológica. Aqui: Hibiscos e Palmeiras Imperiais.
The **Botanical Gardens** charm visitors with their myriad varieties of plants: here an hibiscus blossom and Royal Palms.
La variété des plantes du **Jardin botanique** ravira les visiteurs. A droite : fleurs d'hibiscus et palmiers.
Der **Botanische Garten** entzückt den Besucher durch seine Pflanzenvielfalt. Hier Hibiskusblüte und Königspalmen.
El **Jardín Botánico** encanta por su variedad ecológica. Aqui: Hibiscos y Palmeras Imperiales.

*Feira livre de rua*
*Weekly street market*
*Foire ambulante*
*Wochenmarkt auf der Straße*
*Mercato settimanale / Mercado en la calle*

**Melancia**

**batada doce, aipim, quiabo, xuxu**

*abacaxi, morango*

*sardinha*

*Detalhe da ciclovia que beira toda a orla da cidade.*
*A favorite biking path runs along the coastline and beaches of Rio de Janeiro.*
*Détail de la piste cyclable qui longe la côte et les plages de Rio de Janeiro.*
*Ein beliebter Fahrradweg verläuft entlang der Küstenlinie und der Strände von Rio de Janeiro.*
*Detalles del Ciclovia que pasa a lo largo de las costas y playas de Rio de Janeiro.*

Amanhecer na praia do Leblon. O Rio de Janeiro encanta pela integração com a natureza.
Sunrise in Leblon. The closeness of the metropolis to nature astonishes ever anew.
Lever du soleil à Leblon. A Rio, grands ensembles et paysages naturels se côtoient.
Sonnenaufgang in Leblon. Immer wieder beeindruckt in Rio das Nebeneinander von Großstadt und Natur.
Amanecer en la playa de Leblon. Rio de Janeiro tiene su encanto por la combinación de metrópolis y naturaleza.

Vista do **Mirante do Leblon** até o **Arpoador.**
View from **Mirante do Leblon** to **Arpoador.**
Vue de **Mirante do Leblon** jusqu'à **Arpoador.**
Blick vom **Mirante do Leblon** bis zum **Arpoador.**
Vista desde el mirador **Mirante do Leblon** hasta el **Arpoador.**

*Pescador na costa rochosa entre Leblon e São Conrado.*
*A fisherman on the rocky coast between Leblon and São Conrado.*
*Pêcheur sur la côte rocheuse entre Leblon et São Conrado.*
*Ein Fischer an der Felsküste zwischen Leblon und São Conrado.*
*Un pescador en la costa rocosa entre Leblon y São Conrado.*

81

**Vila Riso** – *Fazenda Colonial de 1849*
*a colonial house built in 1849.*
*maison coloniale construite en 1849.*
*Ein Kolonialhaus aus dem Jahre 1849.*
*Hacienda colonial del 1849.*

*Vista da **Pedra Bonita** sobre **São Conrado** e Clube de Golfe. Ao fundo, o **Morro Dois Irmãos**.*
*View from **Pedra Bonita** to **São Conrado** and the golf club. In the background, **Morro Dois Irmãos**.*
*Vue de la **Pedra Bonita** sur **São Conrado** et le Golfclub. Au fond, le **Morro Dois Irmãos**.*
*Blick von der **Pedra Bonita** nach **São Conrado** und den Golfclub. Im Hintergrund der **Morro Dois Irmãos**.*
*Vista de **Pedra Bonita** sobre **São Conrado** y el Club de Golf. En el fondo el **Morro Dois Irmãos**.*

*Auto estrada de* **São Conrado** *para a* **Barra da Tijuca.**
*A highway links* **São Conrado** *with* **Barra da Tijuca.**
*Une voie expresse relie* **São Conrado** *et* **Barra da Tijuca.**
*Eine Schnellstraße verbindet* **São Conrado** *mit der* **Barra da Tijuca.**
*Autovia de* **São Conrado** *a la* **Barra da Tijuca.**

A **Praia da Joatinga,** entre São Conrado e a Barra da Tijuca, é bela, tranqüila e pouco freqüentada.
**Praia da Joatinga,** between São Conrado and Barra da Tijuca, is lovely and relatively secluded.
La **Praia da Joatinga,** située entre São Conrado et Barra da Tijuca, est très jolie et relativement peu fréquentée.
Die **Praia da Joatinga** zwischen São Conrado und der Barra da Tijuca ist schön und relativ einsam.
La playa **Praia da Joatinga** entre São Conrado y la Barra da Tijuca es bella, tranquila y poco frecuentada.

**Barra da Tijuca.** O bairro do Rio de Janeiro em constante crescimento.
a particularly fast growing city district of Rio.
Une partie de la ville de Rio en croissance permanente.
Ein Stadtteil von Rio, der besonders stark wächst.
El barrio de Rio de Janeiro en constante crecimiento.

*A praia da **Barra da Tijuca** é a preferida de muitos cariocas.*
*The beach of Barra **da Tijuca** numbers today among the most popular beaches in Rio.*
*La plage de la **Barra da Tijuca** figure de nos jours parmi les plages préférées de Rio.*
*Der Strand der **Barra da Tijuca** gehört heute zu den beliebtesten Stränden Rios.*
*La playa de **Barra da Tijuca** es hoy una de las más apreciadas playas de Rio.*

**Cascatinha** – *Reserva Florestal da Tijuca.*
*waterfalls in the nature preserve of Tijuca.*
*Cascade de la réserve naturelle de Tijuca.*
*Wasserfall im Tijuca-Naturschutzgebiet.*
*Una cascada en la Reserva Florestal de Tijuca.*

**Estádio do Maracanã:** *o maior palco de futebol do mundo.*
*the world's most famous football stadium.*
*le stade de football le plus connu au monde.*
*Das bekannteste Fußballstadion der Welt.*
*El mayor estadio de fútbol del mundo.*

**Ponte Rio-Niterói:** *14 km de ponte ligam as duas cidades.*
**Rio Niterói Bridge:** *the 14-km long bridge connects the two cities.*
**Le pont Rio-Niterói :** *le pont de 14 km de long relie les deux villes.*
**Rio-Niterói-Brücke:** *Die 14 km lange Brücke verbindet die zwei Städte.*
**Ponte Rio-Niterói:** *14 km de puente unen las dos ciudades.*

**Niterói: Museu de Arte Contemporânea.** *Uma das muitas obras grandiosas do arquiteto mundialmente famoso Oscar Niemeyer.*
*one of the major works of world famous architect Oscar Niemeyer.*
*L'une des oeuvres principales de l'architecte mondialement connu Oscar Niemeyer.*
*Eines der Hauptwerke des weltbekannten Architekten Oscar Niemeyer.*
*Una de las muchas obras grandiosas del arquitecto mundialmente famoso Oscar Niemeyer.*

91

*Teresópolis: Serra dos Órgãos, pico do Dedo de Deus.*

**Petrópolis:** O **Palácio Imperial** (1843) é hoje um museu.
**Petrópolis:** the **Imperial Palace** (1843) is today a museum.
**Petrópolis :** le **Palais impérial** (1843) est aujourd'hui un musée.
**Petrópolis:** Der **Kaiserliche Palast** (1843) ist heute ein Museum.
**Petrópolis:** El **Palácio Imperial** (1843) es hoy un museo.

**Itacuruça:** *Saveiros fazem passeios regulares para as belas ilhas virgens da região.*
*"Saveiros," beautiful pleasure boats, bring tourists to a splendid island world.*
*les « Saveiros », de jolis bateaux de plaisance, emmènent les touristes visiter cette île magnifique.*
*„Saveiros", schöne Ausflugsboote, bringen Touristen in eine prachtvolle Inselwelt.*
*"Saveiros", bonitos barcos de excursiones viajan regularmente a las bellas Islas Vírgenes de la región.*

**BRASIL**
110 Colorfotos

Brasil
**RIO DE JANEIRO**
110 Colorfotos

Brasil
**SALVADOR** DA BAHIA
100 Colorfotos

Brasil
**CIDADES HISTÓRICAS DE MINAS GERAIS**
Ouro Preto
Mariana
Congonhas
São João del Rei
Tiradentes
Sabará
Diamantina
98 Colorfotos

Brasil
**SÃO PAULO**
70 Colorfotos

Brasil
**BRASÍLIA**
60 Colorfotos

Brasil
**RECIFE OLINDA**

Brasil – Ceará
**FORTALEZA**
80 Colorfotos

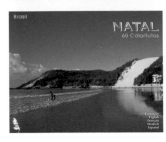

Brasil
**NATAL**
60 Colorfotos

Brasil
**FLORIANÓPOLIS**
90 Colorfotos

Brasil
**PANTANAL**
100 Colorfotos

Brasil
**AMAZÔNIA**
110 Colorfotos

E outros …     And others …     **www.colorfotos.com.br**